박태준리더십
WORK BOOK

박보영 박노일 박행신 김남규 정기준

교육과학사 | POSTECH
박태준미래전략연구소

박태준리더십 Work Book

2020년 11월 25일 1판 1쇄 인쇄
2020년 12월 1일 1판 1쇄 발행

저　자 : 박보영 박노일 박행신 김남규 정기준
발행인 : 한정주
발행처 : 교육과학사 | POSTECH 박태준미래전략연구소

경기도 파주시 광인사길 71
전화 : (031) 955-6956~8 / 팩스 : (031) 955-6037
Home-page : www.kyoyookbook.co.kr / E-mail : kyoyook@chol.com
등록 : 1970년 5월 18일 제2-73호

정가 12,000원

ISBN 978-89-254-1503-1
ISBN 978-89-254-1552-9(set)

Printed in Korea.

| 차 례 |

박태준리더십 워크북 활용 안내

박태준리더십은 만다라트 기법을 적용하여 리더십을 8개의 덕목 요소로 정리하고 다시 여기에 맞는 최적의 일화, 사례를 추출하여 읽을 자료를 만들었다.

각 리더십 덕목 요소마다 정기준 박사의 리더십이야기를 넣어 박태준리더십을 심화하고 체계화하는 데 도움을 주도록 하였다.

박태준리더십 워크북은, 박태준리더십을 공부하는 여러분이 자기 자신의 목표를 만드는 작업을 하도록 안내하였다. 자기 목표를 만들면 삶을 적극적으로 살 수 있고, 시간을 계획적으로 사용할 수 있다.

삶의 목표를 만드는 것은 박태준리더십을 공부하기 전에 만들 수도 있고 박태준리더십을 공부한 후에 만들 수도 있다.

박태준리더십 8가지 덕목요소에 알찬 일화나 사례를 중심으로 읽을 자료를 모았다. 이를 읽고 심화하면서 자기 의견을 기록하며 리더십을 익힐 수 있도록 하였다.

그리고 이를 심화하기 위해서 각 리더십 덕목 요소로 구성된 대단원이 끝날 때마다, 대립토론을 할 수 있게 안건과 방법을 안내 제시하였다.

박태준리더십 워크북은 청소년들이 읽고 배울 수 있도록 내용을 구성하였으나, 청소년뿐만 아니라 성인까지 읽고 익히도록 하였다. 많은 도움 있기 바란다.

【박태준 정신과 리더십을 올바르게 실천하는 삶!】

박태준리더십연구회에서 교육을 받은 학생은

1) 토론을 잘하며
2) 바른 식습관을 실천하고
3) 박태준 정신과 리더십을 익혀서
4) 생활 속에서 행동으로 옮기는 학생이며
5) 미래에 대한 자기 목표를 세워 꾸준히 노력하는 학생으로 성장한다.

1. 『박태준리더십』 책은 이렇게 구성되어 있어요.

"글로벌 인재들이 배워야 하는 박태준리더십" 내용은

포스코 임원 회의자료, 간담회자료, 포스텍 학생들의 조직행동론 팀 프로젝트 자료, 참고문헌, 언론보도자료, 포스코 임원 인터뷰자료, 증언을 통한 사례 및 일화 자료 등 방대한 자료를 수집, 분석, 정리하여 박태준의 리더십 덕목요소 11가지를 집약 추출하였다. 11개의 집약 추출한 박태준리더십 덕목요소를 다시 심의하고, 정리하여 최종적으로 8가지 덕목요소로 박태준리더십을 정립하였다.

박태준의 리더십 8가지 덕목요소에 가장 적합하고 감동적인 일화 및 사례를 8개씩 총 64개를 엄격하게 정하고 이를 읽을 자료로 집필하였다.

1. 단 한 주의 주식도…	2. 가택 수색 사건	3. 이게 당신 돈이오?	1. 분노의 지휘봉	2. 바닷속 감사팀	3. 장군복장이 만든 원료 공급계약	1. 포스코 재산 목록 1호 롬멜하우스	2. 연봉 때문에 회사를 떠나?	3. 짧은 인생을 영원한 조국에!
8. 부식의 영외 반출	I. 청렴	4. 유일한 횡령	8. 당장 폭파해!	II. 원칙	4. 빨간 톱밥이 고춧가루라고?	8. 과학 강국의 밑거름 방사광 가속기	III. 사명감	4. 국가 미래전략연구소를 꿈꾸다
7. 브로커와의 전쟁	6. 꿈에도 그리던 내 집	5. 통장이 하나도 없소?	7. 가장 아끼는 물건은 헬멧	6. 불량 볼트	5. 새 신부에게도 전염된 원칙주의	7. 빈대약이 살려낸 대한중석	6. 축구전용구장 하나쯤은 있어야	5. 300만 톤이 아니라 1,000만 톤 공장이오
1. 대통령의 종이마패	2. 이병철 회장의 선물	3. 앨 고어의 아버지	I 청렴	II 원칙	III 사명감	1. 노벨상은 언제쯤이나?	2. 정부가 대주주인 민간기업체	3. 제철보국
8. 거양해운 사라지다	VIII. 신뢰	4. 구두약으로 갚은 은혜	VIII 신뢰	박태준 리더십	IV 비전	8. 기회마저 잃어버린 중국 투자	IV. 비전	4. 국내 최초 민간 통근열차
7. 김호길 박사	6. 18년 만에 내려간 묵은체증	5. 박태준을 수입하지요	VII 책임감	VI 동기부여	V 주인의식	7. 광양제철소 건설 뒷이야기	6. 숲 속의 제철소	5. 해외 유학 장학회 운영
1. 우향우 정신	2. 천년 가는 포항공대	3. 꼴찌부대를 1등부대로…	1. 사원주택 건설이 우선	2. 솔선수범이 만든 아찔한 사진	3. 꽃 피는 팔도강산	1. 청결·윤리 교육 교재	2. 우리사주제 도입	3. 제2의 제철소를 우리의 손으로…
8. 포항제철의 울타리가 되자	VII. 책임감	4. 모래 말뚝 공법	8. 최고의 교육으로 교육보국을…	VI. 동기부여	4. 최고의 유치원에서 최고의 대학까지	8. 자주관리제	V. 주인의식	4. 유령 노동자
7. 포스코 6개월 만에 이룬 기적	6. 소통령보다는 중통령	5. 단 1년 만에 흑자 낸 대한중석	7. 내 몸이 깨끗해야	6. 지금부터 비상태세	5. '쇳물'은 쏟았지만	7. 불량 와이셔츠	6. 쇳물보다 먼저 나온 사보 〈쇳물〉	5. 기술 우선의 직원 연수

총 64개의 일화를 통해서 박태준의 리더십을 배우게 된다. 박태준의 리더십을 통해서 나라와 사회 그리고 이웃에게 공헌하는 참다운 리더로 거듭난다.

각 일화마다 박태준의 선택과 행동을 음미해보고 '나'라면 어떻게 했을까? 나는 어떻게 생각하고 행동할까? 그리고 박태준의 선택과 다른 선택을 하여 행동했다면 어떠했을까를 숙고하여 나의 바른 선택과 올바른 결심을 굳게 하는 기회를 갖게 하였다.

각 리더십 덕목요소마다 글로벌인재를 키우는 대립토론(Debating) 안건을 만들었다. 그리고 대립토론하는 방법을 안내하였다. 제시되는 안건으로 대립토론을 하면서 박태준리더십을 더욱 심화시키게 될 것이다.

대립토론(Debating)을 쉽게 익혀서 잘 할 수 있도록 대립토론 준비하기 워크페이퍼, 대립토론 모형도, 대립토론 판정표, 대립토론 진행 시나리오를 모아서 박태준리더십 워크북을 만들었다. 아울러 자기 목표를 세우는 안내 자료를 앞에 넣었으니 잘 활용하기 바란다.

2. 나의 목표를 만들어 실천합니다.

1) 나의 목표 세우기

아래의 표를 완성하면서 나의 목표를 세워봅시다.

나의 목표 세우기 이름( )

a	b	c	a	b	c	a	b	c
h	1	d	h	2	d	h	3	d
g	f	e	g	f	e	g	f	e
a	b	c	1	2	3	a	b	c
h	8	d	8	가	4	h	4	d
g	f	e	7	6	5	g	f	e
a	b	c	a	b	c	a	b	c
h	7	d	h	6	d	h	5	d
g	f	e	g	f	e	g	f	e

※ 작성요령

* 첫 번째, 중앙의 [가] 칸에는 '자신의 목표'를 기록한다.

* 두 번째, [가] 칸 주위 1,2,3…칸에는 [가] 칸에 세운 '자신의 목표를 달성하기 위해 준비하여야 할 일' 8개를 기록한다. 이후 1번 칸의 내용을 그대로 좌측 대각선 ↖ 방향 1번 칸에 기록한다. 2번 칸 내용을 그대로 위측 ↑ 방향 2번 칸에 기록한다. 3번 칸 내용을 그대로 우측 대각선 ↗ 방향 3번 칸에 기록한다. 4, 5, 6, 7, 8번도 이와 같이 기록한다.

* 세 번째, a, b, c… 칸에는 1,2,3…칸에 기록한 '자신의 목표를 달성하기 위해 준비해야 할 일'을 아주 세분해서 구체적으로 할 일을 기록한다.

* 각각의 내용은 간단 명료하게 기록한다.

나의 목표 세우기　　이름(　　　　　　　　　　)

2) 장기적인 나의 인생 설계

나의 인생 설계하기(80세 혹은 90세까지)

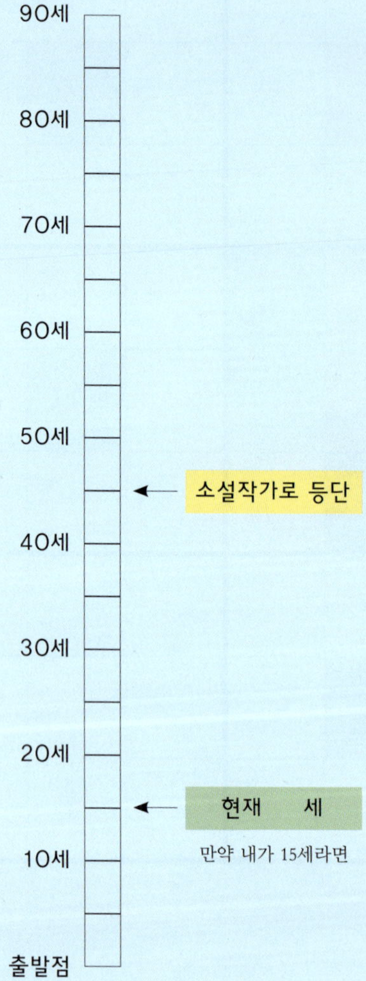

〈인생 설계하는 요령〉

1. 현재의 나는 연령대로 어디인가를 표시한다.

   현재　　세

2. 내가 세운 목표를 표시한다.

   예: 나는 45세에 소설작가로 등단

   나는 45세에 소설작가로 등단 을 45세에 표시한다.

3. 그런 다음 현재의 내 나이까지 역순으로 계획을 세운다.

4. 목표를 세운 나이부터 80세 혹은 90세까지 자기 인생의 설계를 연령대별로 설계한다.

5. 목표를 세우고 자기 인생의 설계를 할 때 자신을 냉철하게 바라보면서 자신이 달성할 수 있는 목표를 체계적으로 계획을 세우는 것이 중요하다.

3. 박태준리더십의 일화를 읽고, 대립토론 준비하기

1) 나의 의견을 정리하기

박태준리더십

Ⅰ. 청렴

'1. 단 한 주의 주식도…'를 읽고 나서

박태준의 선택은 어떠했나요?

'2. 가택수색 사건'을 읽고 나서

여러분이 박태준이라면 그때 어떻게 했을까요?

'3. 이게 당신 돈이오?'를 읽고 나서

이 내용과 같은 기사가 신문에 실렸을 때 가족이라면 어떻게 했을까요?

'4. 유일한 횡령'을 읽고 나서

박태준의 행동에 대하여 어떤 점이 잘했다고 생각하나요?

'5. 통장이 하나도 없소?'를 읽고 나서

박태준의 행동에 대하여 어떤 점이 잘했다고 생각하나요?

'6. 꿈에도 그리던 내 집'을 읽고 나서

이 내용을 공부하고 여러분은 어떻게 생각하나요? 의견을 써 보시오.

'7. 브로커와의 전쟁'을 읽고 나서

이 일화를 통해서 배울 점은 무엇인가요?

'8. 부식의 영외 반출'을 읽고 나서

박태준의 행동을 보고 무엇을 배울 수 있나요?

2) 대립토론 준비하기

다음 안건으로 대립토론을 하여 봅시다.(청렴)

대립토론에 대한 상세한 내용은,
박보영, 『글로벌 리더 대립토론으로 키운다』, 교육과학사, 2016.
박보영, 『토론은 게임이다』, 와이스쿨, 2017. 참고하세요.

1964년 설날, 박태준은 청와대로 초청을 받았습니다.

일본에 가서 한일 국교 정상화가 순탄하게 풀려갈 수 있게 정치작업을 하라는 특사의 역할을 박태준이 담당하라고 하면서

"자, 이것 받게나."

대통령은 봉투 하나를 내밀었습니다.

"이거…, 무슨?"

박태준은 받기를 주저했습니다.

"별거 아니야. 자네는 여태 집도 없더군. 그리 청렴하게 살았으니 당연한 일이지. 그동안 고생만 잔뜩 시키고 내가 너무 무심했어. 애들 엄마한테 미안하구먼. 집이나 장만하게."

박태준은 마지못해 받아 그 돈에 전세 뺀 돈을 합해 북아현동에 꿈에도 그리던 내 집을 마련했습니다.

※ 대립토론을 하기 전에

아래 내용을 조사활동을 통해 준비합니다.

1. 안건

박태준은 대통령이 준 돈을 받아도 된다.

2. 안건에 대한 결론을 쓰시오.

결론: ______________________ (찬성한다, 반대한다.)

3. 결론을 내리게 된 이유 또는 근거를 쓰고, 이를 뒷받침하는 근거자료를 찾아서 쓰시오.

이유 또는 근거1 ______________________

근거자료(설명하기): (어디에서 찾는가?) ________ 에 의하면

____

이유 또는 근거2 ______________________

근거자료(설명하기): (어디에서 찾는가?) ____ 신문 ?면에 의하면

____

이유 또는 근거3 ....

근거자료(설명하기): (어디에서 찾는가?) ..... 통계자료에 의하면

....

이유 또는 근거4 ....

근거자료(설명하기): (어디에서 찾는가?) ..... 통계자료에 의하면

....

4. 이유 또는 근거를 뒷받침하는 근거자료를 활용하여 좀 더 자세히 쓰기를 합니다. (해설, 정의, 관련 증거, 경험, 설명, 통계 등으로 자세히 풀어서 찬성/반대 주장을 씁니다.)

이유 또는 근거 옆에 해설, 정의, 관련 증거, 경험, 설명, 통계 등을 인용하여 자세히 쓰기, 풀어쓰기를 한다. (전체로 이어서 쓸 때 한 문단이 된다.)

이때 예상되는 반론 및 질문도 찾아야 한다.

이유 또는 근거 자세히 쓰기(설명하기: 이유 또는 근거(중심말)를 뒷받침하는 자료, 해설 등)

....

....

....

(예상되는 반론 및 질문은)

이유 또는 근거 자세히 쓰기(설명하기: 이유 또는 근거(중심말)를 뒷받침하는 자료, 해설 등)

(예상되는 반론 및 질문은)

이유 또는 근거 자세히 쓰기(설명하기: 이유 또는 근거(중심말)를 뒷받침하는 자료, 해설 등)

(예상되는 반론 및 질문은)

이유 또는 근거 자세히 쓰기(설명하기: 이유 또는 근거(중심말)를 뒷받침하는 자료, 해설 등)

(예상되는 반론 및 질문은)

5. 예상되는 반론 및 질문을 찾아 반론 꺾기와 답변을 써 보시오.

(4번의 예상되는 반론 및 질문 종합기록)

6. 결론을 내리게 된 이유 또는 근거, 그리고 이를 뒷받침하는 근거자료를 활용하여 입론자, 최종발언자의 주장을 쓰시오.

반드시 순서를 따라서 합니다.

입론자, 최종발언자의 주장 글쓰기(발표안) 요령

순서에 따라서 글쓰기를 한다.
1) 자세히 쓰기를 한다.

이유 또는 근거 옆에 해설, 정의, 관련 증거, 경험, 설명 통계 등을 인용하여 자세히 쓰기, 풀어쓰기를 한다. (전체로 이어서 쓸 때 한 문단이 된다.) 이때 예상되는 반론도 생각한다.

이유 또는 근거 자세히 쓰기(설명하기: 이유 또는 근거(중심말)를 뒷받침하는 자료, 해설 등)

(예상되는 반론 및 질문은)

이유 또는 근거 자세히 쓰기(설명하기: 이유 또는 근거(중심말)를 뒷받침하는 자료, 해설 등)

(예상되는 반론 및 질문은)

이유 또는 근거 자세히 쓰기(설명하기: 이유 또는 근거(중심말)를 뒷받침하는 자료, 해설 등)

(예상되는 반론 및 질문은)

---

2) 글쓰기 순서를 정한다.
순서를 정해 이유 또는 근거 앞에 번호를 쓴다.
'자세히 쓰기' 한 내용을 안건에 맞게 글 쓸 순서를 정한다.

3) 글쓰기를 한다.
이때 순서에 따라 '자세히 쓰기' 한 내용을 연결하여 글쓰기를 한다.
이유 또는 근거(중심말)에 따라 한 문단의 글이 된다.
문단이 처음 시작될 때에는 반드시 들여쓰기를 한다.

4) 다듬기를 한다.
즉 작성한 발표안을 읽으면서 다듬기를 한다.

1) 입론자의 주장 펼치기 글을 써 보시오.

안건:

결론:

입론자의 주장

2) 최종발언자의 주장 다지기 글을 써 보시오.

안건:

결론:

최종발언자의 주장

1) 나의 의견을 정리하기

박태준리더십

Ⅱ. 원칙

'1. 분노의 지휘봉'을 읽고 나서
이 일화를 통해서 배울 점은 무엇인가요?

'2. 바닷속 감사팀'을 읽고 나서
박태준의 행동에 대하여 어떤 점이 잘했다고 생각하나요?

'3. 장군복장이 만든 원료 공급계약'을 읽고 나서

이 글을 읽고 여러분의 의견을 써 보시오.

'4. 빨간 톱밥이 고춧가루라고?'를 읽고 나서

박태준의 선택에 대하여 여러분의 의견을 써 보시오.

'5. 새 신부에게도 전염된 원칙주의'를 읽고 나서

박태준이 무엇을 잘했다고 생각하나요?

'6. 불량볼트'를 읽고 나서

박태준이 다른 선택을 하였다면 어떤 일이 있었을까요?

'7. 가장 아끼는 물건은 헬멧'을 읽고 나서

이 내용을 공부하고 여러분은 어떻게 생각하나요? 의견을 써 보시오.

'8. 당장 폭파해!'를 읽고 나서

이 내용과 같은 기사가 신문에 실렸을 때 가족이라면 어떻게 했을까요?

2) 대립토론 준비하기

다음 안건으로 대립토론을 하여 봅시다.(원칙)

1. 다음 글을 읽고 그 내용을 요약하여 봅시다.

"이 문간방에서 한겨울 추위를 어떻게 막아낼지 걱정이네요."

얇은 벽에 외풍이 어찌나 센지 저녁이면 그 벽에 하얗게 서리가 돋았고, 방 안에 떠놓은 물이 꽁꽁 얼어붙어 버렸습니다. 아침이면 벽에 걸어 놓았던 군복이 뻣뻣하게 얼어붙어 있어서 힘껏 잡아채 다리미질을 해야 했습니다.

그런 추위 속에서 모두가 겨울을 잘 넘겼는가 싶더니, 갓난아기가 아직은 어렸던지라 견디지 못하고 기어코 병에 걸리고 말았습니다.

날이 어두워지자 아기는 열이 나서 보채기 시작했습니다. 그녀는 아기를 안아 달랬지만 밤이 깊어갈수록 더 심해졌습니다. 몸이 뜨겁고 입술이 타면서 자지러지게 울어댔습니다. 시간은 이미 통행금지가 넘었고, 병원이 까마득하게 멀어서 업고 달려갈 수 있는 형편이 아니었습니다.

"여보, 어떡하면 좋아요?"

그녀는 남편을 절박하게 쳐다보며 부대 차라도 좀 불러주었으면 싶었습니다.

"조금만 더 기다려 봅시다."

"이러다가 아이가 죽으면 어떻게 해요?"

"지금이 통금 시간인데, 사적인 일이라 부대 차를 부를 수가 없지 않소?"

"아기 목숨이 경각에 달렸는데 어쩌면 좋아요!"

※ 대립토론을 하기 전에

아래 내용을 조사활동을 통해 준비합니다.

1. 안건

아이의 목숨이 경각에 달렸을지라도 원칙은 지켜야 한다.

2. 안건에 대한 결론을 쓰시오.

결론: ______________ (찬성한다, 반대한다.)

3. 결론을 내리게 된 이유 또는 근거를 쓰고, 이를 뒷받침 하는 근거자료를 찾아서 쓰시오.

이유 또는 근거1 ______________

근거자료(설명하기): (어디에서 찾는가?) ______________ 에 의하면

____

이유 또는 근거2 ______________

근거자료(설명하기): (어디에서 찾는가?) ____ 신문 ?면에 의하면

____

이유 또는 근거3 ....

근거자료(설명하기): (어디에서 찾는가?) ...... 통계자료에 의하면

....

이유 또는 근거4 ....

근거자료(설명하기): (어디에서 찾는가?) ...... 통계자료에 의하면

....

4. 이유 또는 근거를 뒷받침하는 근거자료를 활용하여 좀 더 자세히 쓰기를 합니다. (해설, 정의, 관련 증거, 경험, 설명, 통계 등으로 자세히 풀어서 찬성/반대 주장을 씁니다.)

이유 또는 근거 옆에 해설, 정의, 관련 증거, 경험, 설명, 통계 등을 인용하여 자세히 쓰기, 풀어쓰기를 한다. (전체로 이어서 쓸 때 한 문단이 된다.)

이때 예상되는 반론 및 질문도 찾아야 한다.

이유 또는 근거 자세히 쓰기(설명하기: 이유 또는 근거(중심말)를 뒷받침하는 자료, 해설 등)

....

....

....

(예상되는 반론 및 질문은)

이유 또는 근거 자세히 쓰기(설명하기: 이유 또는 근거(중심말)를 뒷받침하는 자료, 해설 등)

(예상되는 반론 및 질문은)

이유 또는 근거 자세히 쓰기(설명하기: 이유 또는 근거(중심말)를 뒷받침하는 자료, 해설 등)

(예상되는 반론 및 질문은)

이유 또는 근거 자세히 쓰기(설명하기: 이유 또는 근거(중심말)를 뒷받침하는 자료, 해설 등)

(예상되는 반론 및 질문은)

5. 예상되는 반론 및 질문을 찾아 반론 꺾기와 답변을 써 보시오.

(4번의 예상되는 반론 및 질문 종합기록)

6. 결론을 내리게 된 이유 또는 근거, 그리고 이를 뒷받침하는 근거자료를 활용하여 입론자, 최종발언자의 주장을 쓰시오.

반드시 순서를 따라서 합니다.

입론자, 최종발언자의 주장 글쓰기(발표안) 요령

순서에 따라서 글쓰기를 한다.
1) 자세히 쓰기를 한다.

이유 또는 근거 옆에 해설, 정의, 관련 증거, 경험, 설명 통계 등을 인용하여 자세히 쓰기, 풀어쓰기를 한다. (전체로 이어서 쓸 때 한 문단이 된다.) 이때 예상되는 반론도 생각한다.

이유 또는 근거 자세히 쓰기(설명하기: 이유 또는 근거(중심말)를 뒷받침하는 자료, 해설 등)

(예상되는 반론 및 질문은)

이유 또는 근거 자세히 쓰기(설명하기: 이유 또는 근거(중심말)를 뒷받침하는 자료, 해설 등)

(예상되는 반론 및 질문은)

이유 또는 근거 자세히 쓰기(설명하기: 이유 또는 근거(중심말)를 뒷받침하는 자료, 해설 등)

(예상되는 반론 및 질문은)

---

2) 글쓰기 순서를 정한다.
순서를 정해 이유 또는 근거 앞에 번호를 쓴다.
'자세히 쓰기' 한 내용을 안건에 맞게 글 쓸 순서를 정한다.

3) 글쓰기를 한다.
이때 순서에 따라 '자세히 쓰기' 한 내용을 연결하여 글쓰기를 한다.
이유 또는 근거(중심말)에 따라 한 문단의 글이 된다.
문단이 처음 시작될 때에는 반드시 들여쓰기를 한다.

4) 다듬기를 한다.
즉 작성한 발표안을 읽으면서 다듬기를 한다.

1) 입론자의 주장 펼치기 글을 써 보시오.

안건:

결론:

입론자의 주장

2) 최종발언자의 주장 다지기 글을 써 보시오.

안건:

결론:

최종발언자의 주장

1) 나의 의견을 정리하기

박태준리더십

Ⅲ. 사명감

'1. 포스코 재산 목록 1호 롬멜 하우스'를 읽고 나서
이 일화를 통해서 배울 점은 무엇인가요?

'2. 연봉 때문에 회사를 떠나?'를 읽고 나서
박태준이 무엇을 잘했다고 생각하나요?

'3. 짧은 인생을 영원한 조국에!'를 읽고 나서

박태준의 행동을 보고 무엇을 배울 수 있나요?

'4. 국가 미래전략연구소를 꿈꾸다'를 읽고 나서

이 내용을 공부하고 여러분은 어떻게 생각하나요? 의견을 써 보시오.

'5. 300만 톤 아니라 1,000만 톤 공장이오.'를 읽고 나서

여러분이 박태준이라면 그때 어떻게 했을까요?

'6. 축구전용 구장 하나쯤은 있어야'를 읽고 나서

이 글을 읽고 여러분의 의견을 써 보시오.

‘7. 빈대약이 살려낸 대한중석’을 읽고 나서

이 내용과 같은 기사가 신문에 실렸을 때 가족이라면 어떻게 했을까요?

‘8. 과학 강국의 밑거름 방사광가속기’를 읽고 나서

박태준이 다른 선택을 하였다면 어떤 일이 있었을까요?

2) 대립토론 준비하기

다음 안건으로 대립토론을 하여 봅시다.(사명감)

1968년 박정희는 대통령 선거에 출마하기로 결심하였습니다. 어느 날 그는 박태준을 불렀습니다.

"자네도 군복을 벗고 나와 함께 정치를 계속하면서 나를 좀 도와주게나. 자네 고향 국회의원으로 출마하게나. 당선은 틀림 없을 것 같더군."

"죄송합니다. 지난 3년 동안 정치 현장에 있어 봤지만, 정치는 제게 맞지 않는 것 같습니다."

박태준은 박정희가 5·16군사혁명을 일으켜 국가재건최고회의 의장이 되자 비서실장을 하면서 정치에 관여한 경험을 갖고 있었습니다.

"체질에 맞지 않다? 자네라면 그럴 수도 있지. 음, 그렇다면 다시 복귀하려는가?"

박정희는 박태준의 의외의 말에 서운한 듯한 표정이었습니다.

"아닙니다. 저는 이미 순수한 군인정신을 잃었습니다. 지난 3년 동안 군인으로서 피땀을 흘리지 않은 제가 군에 돌아가 어떤 자리를 차지하게 되면 그게 바로 군 질서를 파괴하는 일입니다."

※ 대립토론을 하기 전에

아래 내용을 조사활동을 통해 준비합니다.

1. 안건

박태준은 국회의원이 되어서 대통령을 도와야 한다.

2. 안건에 대한 결론을 쓰시오.

결론: ______________________ (찬성한다, 반대한다.)

3. 결론을 내리게 된 이유 또는 근거를 쓰고, 이를 뒷받침 하는 근거자료를 찾아서 쓰시오.

이유 또는 근거1 ______________________

근거자료(설명하기): (어디에서 찾는가?) __________ 에 의하면

____

이유 또는 근거2 ______________________

근거자료(설명하기): (어디에서 찾는가?) ___ 신문 ?면에 의하면

____

이유 또는 근거3 ....

근거자료(설명하기): (어디에서 찾는가?) ..... 통계자료에 의하면

....

이유 또는 근거4 ....

근거자료(설명하기): (어디에서 찾는가?) ..... 통계자료에 의하면

....

4. 이유 또는 근거를 뒷받침하는 근거자료를 활용하여 좀 더 자세히 쓰기를 합니다. (해설, 정의, 관련 증거, 경험, 설명, 통계 등으로 자세히 풀어서 찬성/반대 주장을 씁니다.)

이유 또는 근거 옆에 해설, 정의, 관련 증거, 경험, 설명, 통계 등을 인용하여 자세히 쓰기, 풀어쓰기를 한다. (진체로 이이서 쓸 때 한 문단이 된다.)

이때 예상되는 반론 및 질문도 찾아야 한다.

이유 또는 근거 자세히 쓰기(설명하기: 이유 또는 근거(중심말)를 뒷받침하는 자료, 해설 등)

....

....

....

(예상되는 반론 및 질문은)

이유 또는 근거 자세히 쓰기(설명하기: 이유 또는 근거(중심말)를 뒷받침하는 자료, 해설 등)

(예상되는 반론 및 질문은)

이유 또는 근거 자세히 쓰기(설명하기: 이유 또는 근거(중심말)를 뒷받침하는 자료, 해설 등)

(예상되는 반론 및 질문은)

이유 또는 근거 자세히 쓰기(설명하기: 이유 또는 근거(중심말)를 뒷받침하는 자료, 해설 등)

(예상되는 반론 및 질문은)

5. 예상되는 반론 및 질문을 찾아 반론 꺾기와 답변을 써 보시오.

(4번의 예상되는 반론 및 질문 종합기록)

6. 결론을 내리게 된 이유 또는 근거, 그리고 이를 뒷받침하는 근거자료를 활용하여 입론자, 최종발언자의 주장을 쓰시오.

반드시 순서를 따라서 합니다.

입론자, 최종발언자의 주장 글쓰기(발표안) 요령

순서에 따라서 글쓰기를 한다.
1) 자세히 쓰기를 한다.

이유 또는 근거 옆에 해설, 정의, 관련 증거, 경험, 설명 통계 등을 인용하여 자세히 쓰기, 풀어쓰기를 한다. (전체로 이어서 쓸 때 한 문단이 된다.) 이때 예상되는 반론도 생각한다.

이유 또는 근거 자세히 쓰기(설명하기: 이유 또는 근거(중심말)를 뒷받침하는 자료, 해설 등)

(예상되는 반론 및 질문은)

이유 또는 근거 자세히 쓰기(설명하기: 이유 또는 근거(중심말)를 뒷받침하는 자료, 해설 등)

(예상되는 반론 및 질문은)

이유 또는 근거 자세히 쓰기(설명하기: 이유 또는 근거(중심말)를 뒷받침하는 자료, 해설 등)

(예상되는 반론 및 질문은)

---

2) 글쓰기 순서를 정한다.
순서를 정해 이유 또는 근거 앞에 번호를 쓴다.
'자세히 쓰기' 한 내용을 안건에 맞게 글 쓸 순서를 정한다.

3) 글쓰기를 한다.
이때 순서에 따라 '자세히 쓰기' 한 내용을 연결하여 글쓰기를 한다.
이유 또는 근거(중심말)에 따라 한 문단의 글이 된다.
문단이 처음 시작될 때에는 반드시 들여쓰기를 한다.

4) 다듬기를 한다.
즉 작성한 발표안을 읽으면서 다듬기를 한다.

1) 입론자의 주장 펼치기 글을 써 보시오.

안건:

결론:

입론자의 주장

2) 최종발언자의 주장 다지기 글을 써 보시오.

안건:

결론:

최종발언자의 주장

1) 나의 의견을 정리하기

박태준리더십

Ⅳ. 비전

'1. 노벨상은 언제쯤이나?'를 읽고 나서

이 일화를 통해서 배울 점은 무엇인가요?

'2. 정부가 대주주인 민간기업체'를 읽고 나서

박태준의 선택에 대하여 여러분의 의견을 써 보시오.

'3. 제철보국'을 읽고 나서

이 내용과 같은 기사가 신문에 실렸을 때 가족이라면 어떻게 했을까요?

'4. 국내 최초 민간 통근열차'를 읽고 나서

박태준이 다른 선택을 했을 때 어떤 일이 일어났을까요?

'5. 해외유학 장학회 운영'을 읽고 나서

이 글을 읽고 여러분의 의견을 써 보시오.

'6. 숲 속의 제철소'를 읽고 나서

박태준의 선택은 어떠했나요?

'7. 광양제철소 건설 뒷이야기'를 읽고 나서

여러분이 박태준이라면 그때 어떻게 했을까요?

'8. 기회마저 잃어버린 중국 투자'를 읽고 나서

박태준의 행동에 대하여 어떤 점을 잘했다고 생각하나요?

2) 대립토론 준비하기

다음 안건으로 대립토론을 하여 봅시다.(비전)

"열차 요금이 얼마라구요?"

"28원이라는군. 같은 구간의 일반 요금 40원보다 적다니까."

개인이 표를 끊어 요금을 지불하는 방식이 아니었고, 회사 측이 사용 요금을 일괄적으로 철도청에 지급하는 방식이었습니다.

통근열차는 산업역군들을 실어 나르는 역할뿐만 아니라 시민들을 위한 교통수단이기도 했습니다. 프로축구 포항스틸러스 홈경기 때면 시민들에게 무료로 이용하도록 해 열차 속이 온통 축구 이야기로 넘쳐났습니다.

"오늘 우리 부서 회식인데, 모두 열차를 타고 가야 하오."

"여부가 있겠습니까? 도망갈래야 도망갈 수도 없답니다."

직원 부서 회식 때에는 통근열차로 회식 장소로 이동해 중간 이탈자가 한 사람도 없는 등 직원 단합에도 역할을 톡톡히 했습니다.

※ 대립토론을 하기 전에

아래 내용을 조사활동을 통해 준비합니다.

1. 안건

프로축구 포항스틸러스 홈경기 때면 시민들에게 무료 통근 열차를 운영하여야 한다.

2. 안건에 대한 결론을 쓰시오.

결론: ______________ (찬성한다, 반대한다.)

3. 결론을 내리게 된 이유 또는 근거를 쓰고, 이를 뒷받침하는 근거자료를 찾아서 쓰시오.

이유 보는 근서1 ______________

근거자료(설명하기): (어디에서 찾는가?) ______ 에 의하면

____

이유 또는 근거2 ______________

근거자료(설명하기): (어디에서 찾는가?) ____ 신문 ?면에 의하면

____

이유 또는 근거3

근거자료(설명하기): (어디에서 찾는가?) 통계자료에 의하면

이유 또는 근거4

근거자료(설명하기): (어디에서 찾는가?) 통계자료에 의하면

4. 이유 또는 근거를 뒷받침하는 근거자료를 활용하여 좀 더 자세히 쓰기를 합니다. (해설, 정의, 관련 증거, 경험, 설명, 통계 등으로 자세히 풀어서 찬성/반대 주장을 씁니다.)

이유 또는 근거 옆에 해설, 정의, 관련 증거, 경험, 설명, 통계 등을 인용하여 자세히 쓰기, 풀어쓰기를 한다. (전체로 이어서 쓸 때 한 문단이 된다.)

이때 예상되는 반론 및 질문도 찾아야 한다.

이유 또는 근거 자세히 쓰기(설명하기: 이유 또는 근거(중심말)를 뒷받침하는 자료, 해설 등)

(예상되는 반론 및 질문은)

이유 또는 근거 자세히 쓰기(설명하기: 이유 또는 근거(중심말)를 뒷받침하는 자료, 해설 등)

(예상되는 반론 및 질문은)

이유 또는 근거 자세히 쓰기(설명하기: 이유 또는 근거(중심말)를 뒷받침하는 자료, 해설 등)

(예상되는 반론 및 질문은)

이유 또는 근거 자세히 쓰기(설명하기: 이유 또는 근거(중심말)를 뒷받침하는 자료, 해설 등)

(예상되는 반론 및 질문은)

5. 예상되는 반론 및 질문을 찾아 반론 꺾기와 답변을 써 보시오.

(4번의 예상되는 반론 및 질문 종합기록)

시오.

6. 결론을 내리게 된 이유 또는 근거, 그리고 이를 뒷받침하는 근거자료를 활용하여 입론자, 최종발언자의 주장을 쓰시오.

반드시 순서를 따라서 합니다.

입론자, 최종발언자의 주장 글쓰기(발표안) 요령

순서에 따라서 글쓰기를 한다.

1) 자세히 쓰기를 한다.

이유 또는 근거 옆에 해설, 정의, 관련 증거, 경험, 설명 통계 등을 인용하여 자세히 쓰기, 풀어쓰기를 한다. (전체로 이어서 쓸 때 한 문단이 된다.) 이때 예상되는 반론도 생각한다.

이유 또는 근거 자세히 쓰기(설명하기: 이유 또는 근거(중심말)를 뒷받침하는 자료, 해설 등)

(예상되는 반론 및 질문은)

이유 또는 근거 자세히 쓰기(설명하기: 이유 또는 근거(중심말)를 뒷받침하는 자료, 해설 등)

(예상되는 반론 및 질문은)

이유 또는 근거 자세히 쓰기(설명하기: 이유 또는 근거(중심말)를 뒷받침하는 자료, 해설 등)

(예상되는 반론 및 질문은)

---

2) 글쓰기 순서를 정한다.

순서를 정해 이유 또는 근거 앞에 번호를 쓴다.

'자세히 쓰기' 한 내용을 안건에 맞게 글 쓸 순서를 정한다.

3) 글쓰기를 한다.

이때 순서에 따라 '자세히 쓰기' 한 내용을 연결하여 글쓰기를 한다.

이유 또는 근거(중심말)에 따라 한 문단의 글이 된다.

문단이 처음 시작될 때에는 반드시 들여쓰기를 한다.

4) 다듬기를 한다.

즉 작성한 발표안을 읽으면서 다듬기를 한다.

1) 입론자의 주장 펼치기 글을 써 보시오.

안건:

결론:

입론자의 주장

2) 최종발언자의 주장 다지기 글을 써 보시오.

안건:

결론:

최종발언자의 주장

1) 나의 의견을 정리하기

박태준리더십

Ⅴ. 주인의식

'1. 청결 · 윤리 교육 교재'를 읽고 나서

이 글을 읽고 여러분의 의견을 써 보시오.

'2. 우리 사주제 도입'을 읽고 나서

이 내용과 같은 기사가 신문에 실렸을 때 가족이라면 어떻게 했을까요?

'3. 제2의 제철소를 우리 손으로…'를 읽고 나서

박태준의 행동에 대하여 어떤 점이 잘했다고 생각하나요?

'4. 유령 노동자'를 읽고 나서

박태준과 다른 선택을 했을 때 어떤 일이 일어났을까요?

'5. 기술 우선의 직원연수'를 읽고 나서

박태준의 행동을 보고 무엇을 배울 수 있나요?

'6. 쇳물보다 먼저 나온 사보 〈쇳물〉'을 읽고 나서

이 일화를 통해서 배울 점은 무엇인가요?

'7. 불량 와이셔츠'를 읽고 나서

여러분이 박태준이라면 그때 어떻게 했을까요?

'8. 자주관리제'를 읽고 나서

박태준의 선택에 대하여 여러분의 의견을 써 보시오.

2) 대립토론 준비하기

다음 안건으로 대립토론을 하여 봅시다.(주인의식)

"대한민국 상품은 없습니까?"

하고 직원에게 물었더니, 그 직원은 미안해하는 얼굴로 한국산 와이셔츠 한 장을 뒤편에서 꺼내 보여 주었습니다. 직원이 지적한 곳을 살펴보니, 바느질한 실밥 간격이 일정하지 않고 소매가 맞지 않았습니다.

'아이고, 이래 가지고서야 어찌 이런 국제시장에서 경쟁할 수 있단 말인가?'

비록 포항제철이 만든 철은 아니었지만, 불량품이나 다름없는 와이셔츠를 보고 자기가 만든 제품이라도 되는 양 부끄러움이 앞섰습니다. 그래서 차라리 자기가 사 버리는 것이 낫겠다 싶었습니다. 박태준의 주인의식이 발로한 것이었습니다.

"그 와이셔츠 내가 사겠소. 싸 주시지요."

직원은 의외라는 표정을 지으면서도 와이셔츠를 단정하게 포장해 주었습니다. 박태준의 품질 지상주의 단면을 보여주는 이야기 한 토막이었습니다.

※ 대립토론을 하기 전에

아래 내용을 조사활동을 통해 준비합니다.

1. 안건

나라의 주인은 국민인가?

2. 안건에 대한 결론을 쓰시오.

결론: ____________________ (찬성한다, 반대한다.)

3. 결론을 내리게 된 이유 또는 근거를 쓰고, 이를 뒷받침하는 근거자료를 찾아서 쓰시오.

이유 또는 근거1 ____________________

근거자료(설명하기): (어디에서 찾는가?) __________ 에 의하면

____

이유 또는 근거2 ____________________

근거자료(설명하기): (어디에서 찾는가?) ____ 신문 ?면에 의하면

____

이유 또는 근거3 ....

근거자료(설명하기): (어디에서 찾는가?) ...... 통계자료에 의하면

....

이유 또는 근거4 ....

근거자료(설명하기): (어디에서 찾는가?) ...... 통계자료에 의하면

....

4. 이유 또는 근거를 뒷받침하는 근거자료를 활용하여 좀 더 자세히 쓰기를 합니다. (해설, 정의, 관련 증거, 경험, 설명, 통계 등으로 자세히 풀어서 찬성/반대 주장을 씁니다.)

이유 또는 근거 옆에 해설, 정의, 관련 증거, 경험, 설명, 통계 등을 인용하여 자세히 쓰기, 풀어쓰기를 한다. (전체로 이어서 쓸 때 한 문단이 된다.)

이때 예상되는 반론 및 질문도 찾아야 한다.

이유 또는 근거 자세히 쓰기(설명하기: 이유 또는 근거(중심말)를 뒷받침하는 자료, 해설 등)

....

....

....

(예상되는 반론 및 질문은)

이유 또는 근거 자세히 쓰기(설명하기: 이유 또는 근거(중심말)를 뒷받침하는 자료, 해설 등)

(예상되는 반론 및 질문은)

이유 또는 근거 자세히 쓰기(설명하기: 이유 또는 근거(중심말)를 뒷받침하는 자료, 해설 등)

(예상되는 반론 및 질문은)

이유 또는 근거 자세히 쓰기(설명하기: 이유 또는 근거(중심말)를 뒷받침하는 자료, 해설 등)

(예상되는 반론 및 질문은)

5. 예상되는 반론 및 질문을 찾아 반론 꺾기와 답변을 써 보시오.

(4번의 예상되는 반론 및 질문 종합기록)

6. 결론을 내리게 된 이유 또는 근거, 그리고 이를 뒷받침하는 근거자료를 활용하여 입론자, 최종발언자의 주장을 쓰시오.

반드시 순서를 따라서 합니다.

입론자, 최종발언자의 주장 글쓰기(발표안) 요령

순서에 따라서 글쓰기를 한다.
1) 자세히 쓰기를 한다.

이유 또는 근거 옆에 해설, 정의, 관련 증거, 경험, 설명 통계 등을 인용하여 자세히 쓰기, 풀어쓰기를 한다. (전체로 이어서 쓸 때 한 문단이 된다.) 이때 예상되는 반론도 생각한다.

이유 또는 근거 자세히 쓰기(설명하기: 이유 또는 근거(중심말)를 뒷받침하는 자료, 해설 등)

(예상되는 반론 및 질문은)

이유 또는 근거 자세히 쓰기(설명하기: 이유 또는 근거(중심말)를 뒷받침하는 자료, 해설 등)

(예상되는 반론 및 질문은)

이유 또는 근거 자세히 쓰기(설명하기: 이유 또는 근거(중심말)를 뒷받침하는 자료, 해설 등)

(예상되는 반론 및 질문은)

---

2) 글쓰기 순서를 정한다.
순서를 정해 이유 또는 근거 앞에 번호를 쓴다.
'자세히 쓰기' 한 내용을 안건에 맞게 글 쓸 순서를 정한다.

3) 글쓰기를 한다.
이때 순서에 따라 '자세히 쓰기' 한 내용을 연결하여 글쓰기를 한다.
이유 또는 근거(중심말)에 따라 한 문단의 글이 된다.
문단이 처음 시작될 때에는 반드시 들여쓰기를 한다.

4) 다듬기를 한다.
즉 작성한 발표안을 읽으면서 다듬기를 한다.

1) 입론자의 주장 펼치기 글을 써 보시오.

안건:

결론:

입론자의 주장

2) 최종발언자의 주장 다지기 글을 써 보시오.

안건:

결론:

최종발언자의 주장

1) 나의 의견을 정리하기

박태준리더십

Ⅵ. 동기부여

'1. 사원주택 건설이 우선'을 읽고 나서

이 내용과 같은 기사가 신문에 실렸을 때 가족이라면 어떻게 했을까요?

'2. 솔선수범이 만든 아찔한 사진'을 읽고 나서

박태준의 행동에 대하여 어떤 점이 잘했다고 생각하나요?

'3. 꽃 피는 팔도강산'을 읽고 나서

여러분이 박태준이라면 그때 어떻게 했을까요?

'4. 최고의 유치원에서 최고의 대학까지'를 읽고 나서

이 일화를 통해서 배울 점은 무엇인가요?

'5. '쉿물'은 쏟았지만'을 읽고 나서

박태준의 행동을 보고 무엇을 배울 수 있나요?

'6. 지금부터 비상태세'를 읽고 나서

박태준과 다른 선택을 했을 때 어떤 일이 일어났을까요?

'7. 내 몸이 깨끗해야'를 읽고 나서

이 글을 읽고 여러분의 의견을 써 보시오.

'8. 최고의 교육으로 교육보국을…' 읽고 나서

박태준의 선택에 대하여 여러분의 의견을 써 보시오.

2) 대립토론 준비하기

다음 안건으로 대립토론을 하여 봅시다.(동기부여)

"뭐? 박태준이 효자지구에 20만 평이나 되는 땅을 샀다고? 제철소 지으라고 했더니 땅 투기하는 거야 뭐야?"

1968년의 일이었습니다. 정부 관료들은 물론이고 언론들도 박태준이 직원 주택부터 짓는다고 못마땅해하였습니다. 제철소보다 땅 투기에 관심이 많다고 야단이었습니다. 하지만 박태준은 자신이 결정한 일을 꾸준히 밀고 나갔습니다.

"최고로 대우해야 최고의 노동력이 나옵니다. 내 집 마련의 꿈을 실현시켜 주어 회사에 애착심을 심어주고자 할 뿐이오. 나는 회사를 내 집 일처럼 생각하는 그런 사원들을 갖고 싶소. 회사가 성공하려면 사원부터 보살피라는 것이 내 신조요."

※ 대립토론을 하기 전에

아래 내용을 조사활동을 통해 준비합니다.

1. 안건

박태준이 종합제철소 건설보다 사원들의 주택단지를 먼저 조성한 것은 타당한가?

2. 안건에 대한 결론을 쓰시오.

결론: ______________________ (찬성한다, 반대한다.)

3. 결론을 내리게 된 이유 또는 근거를 쓰고, 이를 뒷받침하는 근거자료를 찾아서 쓰시오.

이유 또는 근거1 ______________________

근거자료(설명하기): (어디에서 찾는가?) __________ 에 의하면

____

이유 또는 근거2 ______________________

근거자료(설명하기): (어디에서 찾는가?) ____ 신문 ?면에 의하면

____

이유 또는 근거3 ....

근거자료(설명하기): (어디에서 찾는가?) ...... 통계자료에 의하면

....

이유 또는 근거4 ....

근거자료(설명하기): (어디에서 찾는가?) ...... 통계자료에 의하면

....

4. 이유 또는 근거를 뒷받침하는 근거자료를 활용하여 좀 더 자세히 쓰기를 합니다. (해설, 정의, 관련 증거, 경험, 설명, 통계 등으로 자세히 풀어서 찬성/반대 주장을 씁니다.)

이유 또는 근거 옆에 해설, 정의, 관련 증거, 경험, 설명, 통계 등을 인용하여 자세히 쓰기, 풀어쓰기를 한다. (전체로 이어서 쓸 때 한 문단이 된다.)

이때 예상되는 반론 및 질문도 찾아야 한다.

이유 또는 근거 자세히 쓰기(설명하기: 이유 또는 근거(중심말)를 뒷받침하는 자료, 해설 등)

....

....

....

(예상되는 반론 및 질문은)

이유 또는 근거 자세히 쓰기(설명하기: 이유 또는 근거(중심말)를 뒷받침하는 자료, 해설 등)

(예상되는 반론 및 질문은)

이유 또는 근거 자세히 쓰기(설명하기: 이유 또는 근거(중심말)를 뒷받침하는 자료, 해설 등)

(예상되는 반론 및 질문은)

이유 또는 근거 자세히 쓰기(설명하기: 이유 또는 근거(중심말)를 뒷받침하는 자료, 해설 등)

(예상되는 반론 및 질문은)

5. 예상되는 반론 및 질문을 찾아 반론 꺾기와 답변을 써 보시오.

(4번의 예상되는 반론 및 질문 종합기록)

6. 결론을 내리게 된 이유 또는 근거, 그리고 이를 뒷받침하는 근거자료를 활용하여 입론자, 최종발언자의 주장을 쓰시오.

반드시 순서를 따라서 합니다.

입론자, 최종발언자의 주장 글쓰기(발표안) 요령

순서에 따라서 글쓰기를 한다.
1) 자세히 쓰기를 한다.

이유 또는 근거 옆에 해설, 정의, 관련 증거, 경험, 설명 통계 등을 인용하여 자세히 쓰기, 풀어쓰기를 한다. (전체로 이어서 쓸 때 한 문단이 된다.) 이때 예상되는 반론도 생각한다.

이유 또는 근거 자세히 쓰기(설명하기: 이유 또는 근거(중심말)를 뒷받침하는 자료, 해설 등)

(예상되는 반론 및 질문은)

이유 또는 근거 자세히 쓰기(설명하기: 이유 또는 근거(중심말)를 뒷받침하는 자료, 해설 등)

(예상되는 반론 및 질문은)

이유 또는 근거 자세히 쓰기(설명하기: 이유 또는 근거(중심말)를 뒷받침하는 자료, 해설 등)

(예상되는 반론 및 질문은)

---

2) 글쓰기 순서를 정한다.
순서를 정해 이유 또는 근거 앞에 번호를 쓴다.
'자세히 쓰기' 한 내용을 안건에 맞게 글 쓸 순서를 정한다.

3) 글쓰기를 한다.
이때 순서에 따라 '자세히 쓰기' 한 내용을 연결하여 글쓰기를 한다.
이유 또는 근거(중심말)에 따라 한 문단의 글이 된다.
문단이 처음 시작될 때에는 반드시 들여쓰기를 한다.

4) 다듬기를 한다.
즉 작성한 발표안을 읽으면서 다듬기를 한다.

1) 입론자의 주장 펼치기 글을 써 보시오.

안건:

결론:

입론자의 주장

2) 최종발언자의 주장 다지기 글을 써 보시오.

안건:

결론:

최종발언자의 주장

1) 나의 의견을 정리하기

박태준리더십

Ⅶ. 책임감

'1. 우향우 정신'을 읽고 나서

박태준의 행동에 대하여 어떤 점을 잘했다고 생각하나요?

'2. 천년 가는 포항공대'를 읽고 나서

이 글을 읽고 여러분의 의견을 써 보시오.

'3. 꼴찌부대를 1등부대로…'를 읽고 나서

이 내용과 같은 기사가 신문에 실렸을 때 가족이라면 어떻게 했을까요?

'4. 모래 말뚝 공법'을 읽고 나서

박태준의 선택에 대하여 여러분의 의견을 써 보시오.

‘5. 단 1년 만에 흑자 낸 대한중석’을 읽고 나서

박태준의 행동을 보고 무엇을 배울 수 있나요?

‘6. 소통령보다는 중통령’을 읽고 나서

여러분이 박태준이라면 그때 어떻게 했을까요?

'7. 포스코 6개월 만에 이룬 기적'을 읽고 나서

이 일화를 통해서 배울 점은 무엇인가요?

'8. 포항제철의 울타리가 되자'를 읽고 나서

박태준과 다른 선택을 했을 때 어떤 일이 일어났을까요?

2) 대립토론 준비하기

다음 안건으로 대립토론을 하여 봅시다.(책임감)

"우리는 이제 대일청구권 자금으로 제철소를 짓게 되었습니다. 여러분, 대일청구권 자금이란 무엇입니까? 그것은 다름 아닌 식민지 35년 동안 우리 조상들이 일제에 핍박당하며 흘린 피의 대가입니다. 우리는 조상의 핏값으로 제철소를 짓는 것입니다. 그러니 실패하면 조상들께 영원히 씻을 수 없는 죄를 짓는 것입니다. 그러므로 우리가 할 수 있는 것은 오직 하나, 목숨을 걸고 치열하게 일해야 합니다. 우리 앞에는 실패란 있을 수 없습니다. 오로지 성공만이 있을 뿐입니다. 만약 실패한다면 우리는 모두 우향우해서 저 영일만 바다에 빠져 죽는 길밖에 없습니다."

"우향우 정신으로 무장하고, 우리 다 같이 힘차게 출발합시다. 새 역사를 향해!" 세찬 바닷바람 속에서 박태준의 외침은 비장했고, 사원들은 결연한 침묵 속에서 한마음이 되고 있었습니다. '실패할 수도 없고, 실패하지도 않을 것이다. 이제 되돌아갈 길은 없다.' 그는 국민을 위해 반드시 성공해야겠다고 마음먹었습니다.

※ 대립토론을 하기 전에

아래 내용을 조사활동을 통해 준비합니다.

1. 안건

윗사람이 시키는 일은 무조건 따라야 한다에 찬성/반대한다.

2. 안건에 대한 결론을 쓰시오.

결론: ______________________ (찬성한다, 반대한다.)

3. 결론을 내리게 된 이유 또는 근거를 쓰고, 이를 뒷받침하는 근거자료를 찾아서 쓰시오.

이유 또는 근거1 ______________________

근거자료(설명하기): (어디에서 찾는가?) __________ 에 의하면

____

이유 또는 근거2 ______________________

근거자료(설명하기): (어디에서 찾는가?) ____ 신문 ?면에 의하면

____

이유 또는 근거3

근거자료(설명하기): (어디에서 찾는가?) 통계자료에 의하면

이유 또는 근거4

근거자료(설명하기): (어디에서 찾는가?) 통계자료에 의하면

4. 이유 또는 근거를 뒷받침하는 근거자료를 활용하여 좀 더 자세히 쓰기를 합니다. (해설, 정의, 관련 증거, 경험, 설명, 통계 등으로 자세히 풀어서 찬성/반대 주장을 씁니다.)

이유 또는 근거 옆에 해설, 정의, 관련 증거, 경험, 설명, 통계 등을 인용하여 자세히 쓰기, 풀어쓰기를 한다. (전체로 이어서 쓸 때 한 문단이 된다.)

이때 예상되는 반론 및 질문도 찾아야 한다.

이유 또는 근거 자세히 쓰기(설명하기: 이유 또는 근거(중심말)를 뒷받침하는 자료, 해설 등)

(예상되는 반론 및 질문은)

이유 또는 근거 자세히 쓰기(설명하기: 이유 또는 근거(중심말)를 뒷받침하는 자료, 해설 등)

(예상되는 반론 및 질문은)

이유 또는 근거 자세히 쓰기(설명하기: 이유 또는 근거(중심말)를 뒷받침하는 자료, 해설 등)

(예상되는 반론 및 질문은)

이유 또는 근거 자세히 쓰기(설명하기: 이유 또는 근거(중심말)를 뒷받침하는 자료, 해설 등)

(예상되는 반론 및 질문은)

5. 예상되는 반론 및 질문을 찾아 반론 꺾기와 답변을 써 보시오.

(4번의 예상되는 반론 및 질문 종합기록)

6. 결론을 내리게 된 이유 또는 근거, 그리고 이를 뒷받침하는 근거자료를 활용하여 입론자, 최종발언자의 주장을 쓰시오.

반드시 순서를 따라서 합니다.

입론자, 최종발언자의 주장 글쓰기(발표안) 요령

순서에 따라서 글쓰기를 한다.
1) 자세히 쓰기를 한다.

이유 또는 근거 옆에 해설, 정의, 관련 증거, 경험, 설명 통계 등을 인용하여 자세히 쓰기, 풀어쓰기를 한다. (전체로 이어서 쓸 때 한 문단이 된다.) 이때 예상되는 반론도 생각한다.

이유 또는 근거 자세히 쓰기(설명하기: 이유 또는 근거(중심말)를 뒷받침하는 자료, 해설 등)

(예상되는 반론 및 질문은)

이유 또는 근거 자세히 쓰기(설명하기: 이유 또는 근거(중심말)를 뒷받침하는 자료, 해설 등)

(예상되는 반론 및 질문은)

이유 또는 근거 자세히 쓰기(설명하기: 이유 또는 근거(중심말)를 뒷받침하는 자료, 해설 등)

(예상되는 반론 및 질문은)

2) 글쓰기 순서를 정한다.
순서를 정해 이유 또는 근거 앞에 번호를 쓴다.
'자세히 쓰기' 한 내용을 안건에 맞게 글 쓸 순서를 정한다.

3) 글쓰기를 한다.
이때 순서에 따라 '자세히 쓰기' 한 내용을 연결하여 글쓰기를 한다.
이유 또는 근거(중심말)에 따라 한 문단의 글이 된다.
문단이 처음 시작될 때에는 반드시 들여쓰기를 한다.

4) 다듬기를 한다.
즉 작성한 발표안을 읽으면서 다듬기를 한다.

1) 입론자의 주장 펼치기 글을 써 보시오.

안건:

결론:

입론자의 주장

2) 최종발언자의 주장 다지기 글을 써 보시오.

안건:

결론:

최종발언자의 주장

1) 나의 의견을 정리하기

박태준리더십

Ⅷ. 신뢰

'1. 대통령의 종이마패'를 읽고 나서

박태준의 행동에 대하여 어떤 점을 잘했다고 생각하나요?

'2. 이병철 회장의 선물'을 읽고 나서

박태준의 행동을 보고 무엇을 배울 수 있나요?

'3. 앨 고어의 아버지'를 읽고 나서

이 일화를 통해서 배울 점은 무엇인가요?

'4. 구두약으로 갚은 은혜'를 읽고 나서

이 글을 읽고 여러분의 의견을 써 보시오.

'5. 박태준을 수입하지요'를 읽고 나서

이 내용과 같은 기사가 신문에 실렸을 때 가족이라면 어떻게 했을까요?

'6. 18년 만에 내려간 묵은 체증'을 읽고 나서

박태준의 선택에 대하여 여러분의 의견을 써 보시오.

'7. 김호길 박사'를 읽고 나서

박태준과 다른 선택을 했을 때 어떤 일이 일어났을까요?

'8. 거양해운 사라지다'를 읽고 나서

여러분이 박태준이라면 그때 어떻게 했을까요?

2) 대립토론 준비하기

다음 안건으로 대립토론을 하여 봅시다.(신뢰)

"내가 일본에 가서 이나야마 요시히로 신일본제철 회장한테 들었는데 '제철소는 돈이나 기술로 짓는 게 아니다. 사람이 만든다'고 하더라. 도와 달라."

"우리는 산업화로 나라를 지켰다. 북한의 공격을 막아내기 위해 포항에, 구미에 산업단지를 만들었다. 중국이 우리나라처럼 근대화로 죽 나아갈 수 있겠나?"

"그 문제는 걱정하지 마라. 내가 죽더라도 근대화 노선을 뒤집을 사람은 없다. 내 뒤의 지도자들까지 다 줄 세워놨다."

박태준은 귀국한 뒤 덩샤오핑이 보낸 바오산 강철의 셰치화 부사장에게 포항·광양 공장을 알뜰하게 견학시켰습니다. 제철소의 설비 도면, 회사 규정집 등을 받아갔습니다.

※ 대립토론을 하기 전에

아래 내용을 조사활동을 통해 준비합니다.

1. 안건

박태준은 중국에 제철소 건설에 대한 기술을 가르쳐 주어도 되는가?

2. 안건에 대한 결론을 쓰시오.

결론: ______________________ (찬성한다, 반대한다.)

3. 결론을 내리게 된 이유 또는 근거를 쓰고, 이를 뒷받침하는 근거자료를 찾아서 쓰시오.

이유 또는 근거1 ________________

근거자료(설명하기): (어디에서 찾는가?) __________ 에 의하면

____

이유 또는 근거2 ______________________________

근거자료(설명하기): (어디에서 찾는가?) ___ 신문 ?면에 의하면

____

이유 또는 근거3

근거자료(설명하기): (어디에서 찾는가?) 통계자료에 의하면

이유 또는 근거4

근거자료(설명하기): (어디에서 찾는가?) 통계자료에 의하면

4. 이유 또는 근거를 뒷받침하는 근거자료를 활용하여 좀 더 자세히 쓰기를 합니다. (해설, 정의, 관련 증거, 경험, 설명, 통계 등으로 자세히 풀어서 찬성/반대 주장을 씁니다.)

이유 또는 근거 옆에 해설, 정의, 관련 증거, 경험, 설명, 통계 등을 인용하여 자세히 쓰기, 풀어쓰기를 한다. (전체로 이어서 쓸 때 한 문단이 된다.)

이때 예상되는 반론 및 질문도 찾아야 한다.

이유 또는 근거 자세히 쓰기(설명하기: 이유 또는 근거(중심말)를 뒷받침하는 자료, 해설 등)

(예상되는 반론 및 질문은)

이유 또는 근거 자세히 쓰기(설명하기: 이유 또는 근거(중심말)를 뒷받침하는 자료, 해설 등)

(예상되는 반론 및 질문은)

이유 또는 근거 자세히 쓰기(설명하기: 이유 또는 근거(중심말)를 뒷받침하는 자료, 해설 등)

(예상되는 반론 및 질문은)

이유 또는 근거 자세히 쓰기(설명하기: 이유 또는 근거(중심말)를 뒷받침하는 자료, 해설 등)

(예상되는 반론 및 질문은)

5. 예상되는 반론 및 질문을 찾아 반론 꺾기와 답변을 써 보시오.

(4번의 예상되는 반론 및 질문 종합기록)

시오.

6. 결론을 내리게 된 이유 또는 근거, 그리고 이를 뒷받침하는 근거자료를 활용하여 입론자, 최종발언자의 주장을 쓰시오.

반드시 순서를 따라서 합니다.

입론자, 최종발언자의 주장 글쓰기(발표안) 요령

순서에 따라서 글쓰기를 한다.
1) 자세히 쓰기를 한다.

이유 또는 근거 옆에 해설, 정의, 관련 증거, 경험, 설명 통계 등을 인용하여 자세히 쓰기, 풀어쓰기를 한다. (전체로 이어서 쓸 때 한 문단이 된다.) 이때 예상되는 반론도 생각한다.

이유 또는 근거 자세히 쓰기(설명하기: 이유 또는 근거(중심말)를 뒷받침하는 자료, 해설 등)

(예상되는 반론 및 질문은)

이유 또는 근거 자세히 쓰기(설명하기: 이유 또는 근거(중심말)를 뒷받침하는 자료, 해설 등)

(예상되는 반론 및 질문은)

이유 또는 근거 자세히 쓰기(설명하기: 이유 또는 근거(중심말)를 뒷받침하는 자료, 해설 등)

(예상되는 반론 및 질문은)

---

2) 글쓰기 순서를 정한다.
순서를 정해 이유 또는 근거 앞에 번호를 쓴다.
'자세히 쓰기' 한 내용을 안건에 맞게 글 쓸 순서를 정한다.

3) 글쓰기를 한다.
이때 순서에 따라 '자세히 쓰기' 한 내용을 연결하여 글쓰기를 한다.
이유 또는 근거(중심말)에 따라 한 문단의 글이 된다.
문단이 처음 시작될 때에는 반드시 들여쓰기를 한다.

4) 다듬기를 한다.
즉 작성한 발표안을 읽으면서 다듬기를 한다.

1) 입론자의 주장 펼치기 글을 써 보시오.

안건:

결론:

입론자의 주장

2) 최종발언자의 주장 다지기 글을 써 보시오.

안건:

결론:

최종발언자의 주장

4. 대립토론하기

1) 대립토론에 대하여

(1) 대립토론(DEBATE)이란?

2팀으로 나누어서 정해진 규칙에 따라 하는 언쟁, 논쟁을 대립토론이라 한다.

축구, 핸드볼, 농구 등과 같은 운동경기는 정해진 규칙에 따라 경기한다. 한 경기가 끝나면 득점한 점수에 따라 승패, 즉 이기고 지는 팀이 결정된다. 이런 운동경기와 같이 대립토론도 말로 정해진 규칙에 따라 토론을 하고 토론이 끝나면 얻은 점수에 따라 승패를 결정하게 되는 게임이다. 그래서 대립토론(Debating)을 운동경기와 같이 말로 하는 게임(경기)이라고 말할 수 있다. 즉 대립토론은 반드시 2팀, 즉 찬성 · 반대 팀으로 나누어 일정한 규칙에 따라 진행된다. 토론이 끝나면 심판원들이 채점한 점수에 따라 승패를 결정하게 된다.

대립토론을 정리하여 설명하면

① 하나의 안건(토론의 주제)을 가지고,

② 대립하는 두 팀으로 나누어,

③ 일정한 규칙(인원수, 시간, 진행방법, 심사방법 등)에 따라,

④ 심문과정을 거치며 토론을 하고,

⑤ 토론이 끝나면 이긴 팀과 진 팀이 결정된다.

⑥ 그리고 목적은 진리탐구 의사결정 문제해결이다.

(2) 대립토론의 10가지 규칙

운동경기도 정해진 규칙에 따라 진행되듯이 대립토론도 정해진 규칙이 있다. 토론 형태에 따라 규칙에 다소 차이는 있지만 공통적인 규칙 10가지를 소개하겠다. 규칙을 잘 지켜야 공평하고 활발한 대립토론이 진행된다. 아울러 토론의 참맛을 느끼게 된다.

① 규칙1. 입론은 찬성편이 먼저 한다.

대립토론에서 입론자부터 시작한다. 이때 찬성편 입론자가 먼저 시작한다. 확실한 것은 아니지만 영국 의회에서 실시하던 토론이 의회식 대립토론이다. 의회식 토론은 주로 정책 토론을 이 방법으로 한다. 정책은 주로 정부에서 입안하게 된다. 입안된 정책을 가지고 의회식 토론을 하게 된다. 그러니 정책을 입안한 정부 측에서 정책 제안 설명을 하게 된다. 여기에서 유래되어 찬성편이 먼저 하는 규칙이 만들어졌다고 한다.

거의 모든 대립토론(퍼블릭 포럼은 찬/반 어느 쪽이 먼저 할 것인가를 토스로써 결정한다.)은 찬성편 입론자가 먼저 시작한다.

② 규칙2. 최종발언은 반대편이 먼저 한다.

토론에서 찬성편의 입론자가 먼저 시작하도록 되어 있다. 그런데 불공평하다고 얘기할 수도 있다. 그래서 공평하게 하기 위해서 마무리를 하는 최종발언자는 반대편에서 먼저 하고 이어서 맨 마지막은 찬성편에서 하기로 되어 있다.

③ 규칙3. 발언순서를 지킨다.

대립토론은 여러 형태가 있다. 형태에 따라서 발언 순서가 정해져 있다. 대립토론은 운동경기와 같이 말로 하는 게임이기에 규칙에 따른다. 각각의 순서가 정해져 있다.

예를 들면 교과서의 토론에서 주장 펼치기를 할 때 찬성편 입론자가 먼저 하고 이어서 반대편 입론자가 한다. 그리고 작전 시간을 2분간 갖는다. 이어서 반론하기를 한다. 반론할 때는 반대편 반론자가 찬성편 입론자에게 반론과 질문을 한다.

찬성편 입론자는 반론자의 질문에 답변하고 또 반론도 이어진다.

다음은 찬성편 반론과 질문이 이어진다. 반대편 입론자는 반론과 질문을 한다.

찬성편 입론자는 답변과 반론을 한다. 이때 질문, 반론시간은 4분간 계속된다.

이어서 2분간 작전타임을 갖는다. 다음은 최종발언 순서이다. 최종발언은 반대편에서 먼저 하고 이어서 찬성편에서 한다. 이런 순서가 대립토론에는 정해져 있다.

④ 규칙4. 정해진 시간에 따라 진행된다.

토론은 각각의 순서에 따라서 시간이 정해져 있다.

입론자의 시간, 질문 반론하는 시간, 작전 시간, 최종발언하는 시간 등 순서에 따른 부여된 시간들이 정해져 있다.

예를 들면 WSDC토론에서 이의제기하는 시간은 토론자에게 부여된 8분에서 시작 1분 후에 이의제기를 할 수 있고 끝나는 1분 전에는 이의제기를 할 수 없다는 등 정해진 규칙에 따라 진행된다.

이의제기를 할 때는 15초 안에 해야 한다. 시간을 재는 사람은 토론자 1인에게 5분이 주어졌다면 이를 지키도록 운영하는데 초시계로 시간을 재서 심사표에 분/초를 기록한다. 5분 동안 발언하는데 4분 30초가 되면 예비종을 쳐서 1분 남았음을 알리는 등과 같은 일을 시간 재는 사람이 한다.

⑤ 규칙5. 찬성과 반대 팀을 정하는 것은 토스로 결정한다.

대립토론에서 안건을 가지고 찬성 반대를 정하여 토론을 하게 된다. 이때 어느 팀이 찬성이 되고 어느 팀이 반대가 될 것인가를 정하게 된다. 토론자의 의견이나 생각을 고려하여 그들이 생각하는 쪽을 선택하도록 하지 않는다. 반드시, 제비뽑

기라든지 가위바위보, 추첨으로 찬성과 반대를 결정하게 된다. 찬성과 반대를 토론자에게 맡겨서 그들의 의견에 따라서 결정하도록 하는데 이렇게 하면 안 된다. 그 이유가 있다.

만일 어떤 안건에 대해서 찬성하는 사람이 찬성 쪽에서 토론을 하도록 한다면 그 사람의 생각과 의견과 신념은 굳어져 버린다. 그러나 찬성 반대를 토스나 추첨으로 결정하게 된다면 내가 찬성하는데 만약 반대편 입장에 서게 되면 내 주장을 하기 위하여 근거자료를 찾고 준비를 할 것이다. 그러다 보면 상대방의 입장을 생각하게 되는 교육적 효과를 얻을 수 있다.

⑥ 규칙6. 좌석은 찬성편이 사회자의 오른쪽에 앉는다.

좌석은 사회자를 기준으로 찬성편이 오른쪽에 앉는다. 반대편은 사회자의 왼쪽에 앉는다. 심판원은 토론자의 앞쪽에 자리하고 사회자와 시간 재는 사람은 앞쪽 정중앙에 심판원과 마주 보고 자리한다. 이것이 국제적으로 통용되는 내립토론의 좌석배치 규정이기는 하다. 다만 장소에 따라서는 사회자나 시간 재는 사람은 옆으로 비껴서 앉을 수도 있다. 좌석이 크게 중요한 것은 아니지만 통상적으로 정해진 규칙이다.

⑦ 규칙7. 인원수를 달리한다.

찬성 대 반대의 인원수를 1:1 2:2 3:3 4:4 5:5 등 여러 형태가 있다. 하지만 찬성 반대의 토론자의 수는 같게 해야 한다. 토론자의 인원수를 결정하는 것은 토론 형태에 따라서 다르다. 그리고 토론을 지도하는 사람에 따라서 참가자를 고려하여 달리할 수도 있다.

같은 토론형태라도 많은 사람을 참가시키기 위해서 인원수를 조정할 수 있다.

⑧ 규칙8. 승패를 결정한다.

심판원의 판정점수로 승패가 결정된다.

최종발언이 끝난 후 어느 쪽이 이겼는가를 평가하여 판정한다. 대립토론(디베이팅)에서는 최종적으로 어느 쪽의 주장이 논리 정연하고 타당했는지 판정을 내린다. 토론을 하는 데 승패를 가르는 것은 어울리지 않는다. 너무 점수 점수 하는 것은 좋지 않다고 하여 평가를 하지 않는 경우가 있는데 이것은 안 된다. 대립토론(Debating)의 토대가 무너진다. 심판의 판정에 의해 승패를 정하기 때문에 대립토론(Debating)이 살아있는 것이다. 토론에서 이기려고 하기 때문에 토론이 활발하게 되는 것이다.

처음에는 단순하게 어느 쪽이 이겼는가를 알 수 있으면 된다. 학생에게 평가를 시킬 경우 위와 같은 3단계 평가가 아니라 보다 간단한 것도 좋다. 예를 들어 단순히 이긴 쪽에 ○표를 표시하는 것으로도 좋다.

중요한 것은 왜 이겼는가, 왜 졌는가의 이유를 설명하는 것에 있다.

처음에는 교사가 평가를 해주는 것도 좋겠다. 왜, 어디가 좋았는가의 평가 방법을 분석적으로 가르쳐 주는 것이다. 입론, 반박발언(반론), 최종발언의 각각에 있어서, 어느 쪽이 좋았는가, 왜 좋았는가를 분석하여 지도하는 것도 게을리해서는 안 된다.

토론에 점차 익숙해질수록 다양한 형태의 평가표를 개발할 필요가 있다.

⑨ 규칙9. 토론자마다 역할이 부여된다.

한 팀이 3명으로 구성되어 있을 때 각각 입론, 반박발언–질문, 최종발언의 역할을 맡아서 토론을 한다. 각 팀의 첫 번째 토론자는 입론, 두 번째 토론자는 반박발언–질문 혹은 반론, 세 번째 토론자는 최종발언을 하게 된다. 그래서 한 팀이 3명이 참여하는 대립토론에는 입론, 반박발언–질문, 최종발언의 3역할을 부여한다. 1인:1인, 2인:2인, 3인:3인, 4인:4인, 5인:5인 등 여러 형태가 있지만 어느 형태를 택하는가에 따라서 토론자에게 부여되는 역할은 변할 수 있다. 주로 초 · 중 · 고등학교에서 많이 운영되는 대립토론의 형태는 3인:3인 형태이기에 여기서는 이 방법을 중점적으로 설명하고자 한다.

물론 중 · 고등학교나 대학교, 일반인들이 하는 WSDC 토론이나 의회식 토론에서는 첫 번째 토론자, 두 번째 토론자, 세 번째 토론자, 최종변론으로 역할이 부여되기도 한다. 토론 진행 방법을 비교하기 위하여 2007년 7월 서울과 2008년 뉴욕에서 열렸던 세계 고등학생 토론대회에서 진행하였던 WSDC 토론 방법이나 의회식 토론방법을 참조하면 조금은 다른 역할이 부여되어 있음을 알 수 있다.

⑩ 규칙10. 진행은 사회자가 한다.

대립토론의 진행은 사회자가 한다.

토론을 처음 적용할 때는 사회자의 진행 시나리오가 필요하기도 하다. 하지만 숙달되거나 사회자 스스로 진행을 할 수 있게 되면 시나리오는 필요 없게 된다. 사회자가 토론을 진행할 때 시나리오가 있더라도 토론이 원활하게 진행할 수 있도록 사회자의 능력 발휘를 할 필요가 있다. 하지만 지나친 사회자의 발언은 대립토론에서는 오히려 방해가 된다.

사회자는 진행 시나리오에 따라 대립토론이 원활하게 진행되도록 최대의 노력을 기울여야 한다. 특히 찬, 반 두 팀에 중간 입장에서 공정하게 진행해야 한다.

2) 규칙을 잘 지키며 PY교과서 토론모형에 따라 토론을 한다

(1) 대립토론은 찬성편이 먼저 주장한다(단 퍼블릭 포럼에서는

누가 먼저 주장하는가를 토스, 추첨, 제비뽑기, 가위, 바위, 보 등으로 결정하지만 다른 대립토론에서는 찬성편이 먼저 주장한다). 그리고 마지막 최종발언에서는 반대편이 먼저 주장한다.

⑵ 발언시간이나 작전시간을 처음에는 짧게 주다가 점차 늘려주는 방법으로 한다.

⑶ 작전시간을 부여한다. 대립토론이 박진감 넘치고 흥미를 더하게 하기 위해서 작전시간을 준다.

⑷ 질문은 질문자로 정해진 사람이 하고 답변은 주장한 사람이 한다. 같은 팀원은 이를 돕는 역할을 한다.

⑸ PY교과서토론에서 주장 펼치기를 하는 사람을 입론자, 반론하기를 하는 사람을 반론자(혹은 반박－질문자), 주장 다지기를 하는 사람을 최종발인자라고 역할을 부여한다.

⑹ 채점표가 제시되어 있는데 채점은 반드시 상대비교평가를 한다. 처음에는 잘한 쪽에 ○, 못한 쪽에 ×표로 판정을 하고 숙달되면 3, 2, 1의 점수를 부여하는 방법을 취한다. 최종집계는 판정단 인원 수로 점수화해서 판정하는 경우와 판정단의 점수를 모두 합하여 총합계 점수로 판정을 하는 경우가 있다. 어느 경우를 택하든지 상관없다.

대립토론을 실제로 해보는 것이 더욱 중요하고 그 맛을 더할 수 있다는 것을 분명히 한다.

5. 대립토론 모형도 -PY 교과서 토론 -

이 모형에 따라 대립토론을 하여보자.

단계	말하는 순서	시간	말하는 사람	말할 내용
주장 펼치기	찬성편 ⇘	3분	찬성편1토론자	▶찬성편의 주장과 근거제시
	반대편	3분	반대편1토론자	▶반대편의 주장과 근거제시
		작전타임 2분		
반론하기	반대편 ⇙	4분	반대편2토론자	▶ 찬성편이 제시한 근거에 대한 반론 및 질문
	찬성편		찬성편1토론자	▶반대편 질문에 대한 답변 및 반박
	찬성편 ⇘	4분	찬성편2토론자	▶ 반대편이 제시한 근거에 대한 반론 및 질문
	반대편		반대편1토론자	▶찬성편 질문에 대한 답변 및 반박
		작전타임 2분		
주장 다지기	반대편 ⇙	3분	반대편3토론자	▶ 자기편의 주장정리 및 강조
	찬성편	3분	찬성편3토론자	▶ 자기편의 주장정리 및 강조

※ 대립토론의 숙달정도에 따라 시간을 늘려간다.

6. 대립토론 판정하기

토론을 집중하여 보면서 판정표를 작성해 보시오.

대립토론 판정표(PY 교과서 토론)

토론을 잘 관찰하며 잘한 편에 ○표하고, 의견을 총평가란에 기록한다.
※ 숙달되면 3.2.1로 평가한다(3:잘한다. 2:보통이다. 1:잘 못한다).

평가영역	평가내용	판정	
		찬성편	반대편
주장 펼치기 (입론)	주장이 설득력 있고, 이를 뒷받침하는 근거가 타당하고 믿을 만하다.		
반론하기 (질문–반박)	상대편의 주장과 근거의 문제점을 찾아 반박하는 주장을 펼친다.		
	알맞은 질문, 적절한 질문으로 상대방을 심문하는가?		
	상대편이 제시한 반론에 대하여 적절하게 답변한다.		
주장 다지기 (최종발언)	주장과 근거를 다시 정리하여 주장을 분명히 한다.		
태도	토론의 규칙을 알고 잘 지킨다.		
	예의 바른 태도로 참여하는가?		
	팀원이 잘 협동하는가?		
총평가	찬성편		
	반대편		

※ 각 편의 ○ 수가 많은 편이 승자가 된다(8점 만점이다).
만일 동점이 나왔을 경우 판정자가 잘했다고 판단하는 편을 골라 총평가란에 찬성편 혹은 반대편 칸에 "승리"라고 기록한다.

※ 숙달되면 3.2.1로 평가한다(3:잘한다. 2:보통이다. 1:잘 못한다).

7. 대립토론 시나리오

사회자 진행 시나리오(PY 교과서 토론)에 따라 대립토론을 한다.

(사회자)

반갑습니다.

저는 사회자 ○○○입니다. 지금부터 토론을 시작하겠습니다.(박수)

먼저 판정단을 소개하겠습니다. 판정단 대표는 ○○○이고 위원은 ○○○, ○○○, ○○○입니다.

이어서 사회자를 도와 시간을 재어 줄 사람을 소개합니다.

○○○입니다.

오늘의 토론 주제는 〈　　　　　　〉입니다.

찬성 반대 양 팀은 먼저 주장할 내용을 준비해 주십시오.

판정단에서 토론절차와 판정관점에 대해 말씀해 주시겠습니다.

(판정단)

반갑습니다. 저는 판정단 대표 ○○○입니다. 오늘 여러분의 토론에서 다음 6가지를 기준으로 판정하겠습니다.

첫째, 주장이 설득력 있고, 이를 뒷받침하는 근거가 타당하고 믿을 만한가?

둘째, 상대편의 주장과 근거의 문제점을 찾아 반박하는 주장을 펼치는가?

셋째, 상대편이 제시한 반론에 대하여 적절하게 답변하는가?

넷째, 주장과 근거를 다시 정리하여 주장을 분명히 하는가?

다섯째, 토론의 규칙을 알고 잘 지키는가?

여섯째, 예의 바른 태도로 참여하는가?를 기준으로 판정하겠습니다.

다음은 토론 절차를 설명하겠습니다.

주장 펼치기로 찬성편에서 주장과 근거를 제시하며 이어서 반대편의 주장과 근거 제시를 합니다.

다음은 반론하기입니다.

먼저 반대편에서 찬성편이 제시한 근거에 대한 반론 및 질문합니다.

이에 찬성편에서 반대편의 질문에 대한 답변을 하며 반박을 합니다.

다음은 찬성편에서 반대편이 제시한 근거에 대한 반론 및 질문합니다.

이에 반대편에서 찬성편의 질문에 대한 답변과 반박을 합니다.

이어지는 순서는 주장 다지기를 합니다.

반대편에서 자기편의 주장을 정리하며 강조점을 말합니다.

이어서 최종적으로 찬성편에서 자기편의 주장한 내용을 정리하고 강조점을 말하는 순서로 진행하겠습니다.

토론자의 발언시간은 주장 펼치기 3분, 반론하기 4분, 주장 다지기 3분입니다. 시간에 대한 자세한 안내는 사회자가 해 주겠습니다.

최선을 다해 주시기 바랍니다. 고맙습니다.

(사회자)

그럼 지금부터 찬성편의 주장을 듣겠습니다. 발언시간은 3분이

며 2분 30초에 예비 신호를 보내고 3분이 지나면 또 신호하겠습니다. 시간을 잘 활용하는 것도 판정에 참고된다는 것을 기억해주시기 바랍니다. 그럼 발표해 주십시오.

〈찬성편〉

저는 (   )라는 주제에 찬성합니다. 왜냐하면….

(사회자)

예, 잘 들었습니다. 이제 반대편에서 주장하여 주십시오. 역시 발언시간은 3분이며 2분 30초에 예비 신호를 보내고 3분이 지나면 또 신호하겠습니다.

〈반대편〉

저는 (   )라는 주제에 반대합니다. 왜냐하면….

(사회자)

양편의 주장을 잘 들었습니다.

주장한 내용을 중심으로 반론할 것을 의논해 주세요. 의논할 시간은 2분 쓰실 수 있습니다. 소곤소곤 의논해 주시기 바랍니다.

– 1차 작전시간 –

(사회자)

이제 작전 시간이 다 되었습니다.

다음은 반론하기 순서입니다.

먼저 반대편에서 찬성편이 제시한 근거에 대한 반론 및 질문을 해 주십시오.

이에 찬성편에서는 반대편의 질문에 대한 답변을 성실하게 해 주십시오. 한편 찬성편에서는 반박도 이어집니다.

시간은 4분간입니다. 3분 30초에 예비신호를 보내고 4분에 마치는 신호를 해 주겠습니다.

[질문과 답변 그리고 반박하기]

(사회자)

다음은 찬성편에서 반대편이 제시한 근거에 대한 반론 및 질문을 합니다.

이에 반대편에서 찬성편의 질문에 대한 답변을 성실하게 해 주십시오. 한편 반대편에서는 반박도 이어집니다.

시간은 4분간입니다. 3분 30초에 예비신호를 보내고 4분에 마치는 신호를 해 주겠습니다.

[질문과 답변 그리고 반박하기]

(사회자)

양편의 반론을 잘 들었습니다.

작전시간을 드리겠습니다.

지금까지 토론한 내용을 중심으로 주장한 내용을 정리하고 강조점을 의논해 주세요. 의논할 시간은 2분 쓰실 수 있습니다. 소곤소곤 의논해 주시기 바랍니다.

–2차 작전시간–

(사회자)

이제 작전 시간이 다 되었습니다.

주장 다지기 순서입니다. 순서는 반대편에서 먼저 하고 이어서 찬성 팀에서 하겠습니다.

시간은 각 팀에게 3분씩 드리겠습니다. 앞에서와 마찬가지로 2분 30초에 예비신호를 보내고 3분이 되면 마치는 신호를 보내겠습니다. 3분이 되면 마쳐야 합니다.

먼저 반대편에서 자기편의 주장을 정리하여 발표하고 아울러 주장하는 내용의 강조점을 발표해 주십시오.

[주장 다지기]

(사회자)

이어서 최종적으로 찬성편에서 자기편의 주장한 내용을 정리하고 강조점을 발표해 주십시오.

[주장 다지기]

(사회자)

양쪽 모두 열심히 해주셨습니다. 판정 결과가 집계되는 동안 잠시 열기를 식히면서 토론에 대한 심사평을 듣도록 하겠습니다.

[본 판정단 대표의 심사평과 결과 발표]

판정단의 판정표를 종합해 판정을 내린다.

(사회자)

잘 들었습니다.

오늘은 ○ 대 ○으로 ○○편이 이겼습니다.

판정단 여러분들과 토론자 모두 수고하셨습니다.

적극 참여해 주셔서 고맙습니다. 이상으로 대립토론을 마치겠습니다.(박수)

집 필 진 소개

〈박태준리더십 집필진〉

박 보 영

경인교육대, 건국대 경제학과(교육경제), 중앙대 교육대학원(유아교육 석사)
국립 경상대 대학원(교육학 박사), 전임 포스코 교육재단 초등학교 교장
박보영토론학교 교장, 눈높이 교육자 대상 수상(주식회사 대교)

출판:

- 글로벌 인재 대립토론으로 키운다(교육과학사) 외 대립토론 관련 책 9권
- 은퇴 후 아름다운 삶을 위한 '151030' 전략, 교육과학사(신간)
- 경향신문에 "토론교육 어떻게 할까"(대립토론 내용을 중심으로) 연재
- 온라인 강좌 운영: 맘스쿨, 그리고 "교육칼럼" 연재
- 박보영토론학교 Blog 운영: http://debating.tistory.com
- 『대립토론(온라인 강좌)』운영: 맘스쿨 http://www.momschool.co.kr/에서

박 노 일

경인교육대, 청주대 법학과, 대구가톨릭대 대학원(상담심리 석사)
전임 포스코 교육재단 초등학교 교사, 전임 김천대 강사(교육학)
전임 포스코 교육재단 연구위원, 전임 포항생명의 전화 상담사(1,500시간 봉사)
충북노인보호전문기관(상담봉사)
청주시 다문화가족 검정고시 교육지도
산림교육전문가(숲해설가, 숲치유사)
전임 경북숲해설가협회 상임대표
행복한 4도3촌 생활자

박 행 신

목포교육대, 순천대 교육대학원(국어교육 석사)
전임 포스코 교육재단 초등학교 교사
초등학교 국어과교과서 연구 및 심의위원(한국교육평가원)
초등학교 수석교사
한국문인협회 회원, 한국동시문학회 이사
문예창작교실 강사
광주일보 신춘문예 동시 당선
제3회 눈높이 아동문학 동시 당선

동시작가

한국동시 100년 역사를 빛낸 동시인 111명에 선정
초등학교 국어 교과서 동시 수록
전남문화상 문학부문 수상
한국예총공로상 수상

작품집

- 융합동시집 〈아하, 그렇구나〉
- 박행신 동시선집 외 3권

김 남 규

강릉교육대, 관동대, 관동대 교육대학원(상업교육 석사)
전임 포스코 교육재단 초등학교 교사
제3회 대한민국 스승상 수상(옥조근정훈장)
숲 해설가

정 기 준

영남대 대학원 경영학 석 · 박사
미국 네브래스카 주립대 연구원
한양대 리더십센터 책임연구원
경북대 경영학과 겸임교수
포항공과대 리더십센터 부센터장
포항공과대 글로벌리더십 센터장
포항공과대 박태준미래전략연구소 교수
'정박사 리더십 이야기' 집필

| 행 · 재정 |

이 우 용

경북대 경제통상학부
포항공과대 기획/교무/산학팀
포항공과대 박태준미래전략연구소 과장